PATRICK SOBRAL

LES LÉGENDAIRES

18. LA FIN DE L'HISTOIRE ?

DELCOURT

Ce tome 18 est le plus sombre et le plus intense qu'il m'ait été donné de faire sur la série des Légendaires.
Il fallait bien ça pour conclure ce cycle amorcé avec la saga d'Anathos. Mais vous verrez, le meilleur est à venir...
Alors continuez à suivre cette BD qui est avant tout la vôtre, mes Légenfans.

Retrouve tes héros sur leur site officiel
www.leslegendaires-lesite.com

Rejoins les Légenfans

www.facebook/legendairesbd

Gryf

Héritier du trône de **Jaguarys**, cité des hommes-félins, **Gryf** est le plus courageux des Légendaires. Lors de son dernier séjour parmi les siens, il s'est fait greffer un **Katseye** sur le front. Lorsque Gryf choisit de l'activer, ce diadème magique lui confère la force et la vitesse de **dix Jaguarians**.

Jadina

Shimy

Elfe élémentaire et gardienne de la paix dans son monde, **Shimy** a pourtant choisi l'aventure dans celui des hommes en devenant une Légendaire. Devenue **aveugle** en combattant le dieu **Anathos**, elle arrive toutefois à percevoir **les auras et les énergies** qui l'entourent grâce aux **broches elfiques** qu'elle porte sur sa tête.

Ténébris

Fille du terrible sorcier noir **Darkhell** et autrefois ennemie jurée des Légendaires, **Ténébris** a finalement rejoint ceux-ci par amour pour **Razzia**. Elle doit à présent faire ses preuves auprès de ses nouveaux compagnons et s'amender de ses crimes passés envers le peuple d'**Alysia**.

Ouvrage dirigé par Thierry Joor

Dépôt légal : septembre 2015. ISBN : 978-2-7560-5357-8

Conception graphique : Trait pour Trait

Loi n° 49-956 du 16 juillet 1949
sur les publications destinées à la jeunesse

Achevé d'imprimer en France en avril 2016

www.editions-delcourt.fr

POURQUOI EST-CE QUE JE N'ÉPROUVE RIEN ?
JE VIENS POURTANT DE TUER QUELQU'UN.

LA FEMME QUE JE VIENS D'ASSASSINER ...
... GÎT DANS LES BRAS DE L'HOMME QU'ELLE AIMAIT, UN DE MES AMIS...

... ALORS DITES-MOI POURQUOI JE N'ÉPROUVE RIEN !!

DANAËL !!
Z'EST HALZYON ET TOI QUI AVEZ TROUVÉ ZON CORPS, N'EST-ZE PAS ?
QUI L'A TUÉE ?
QUI A TUÉ TÉNÉBRIZ ?
EUH... JE... NOUS NE ...

VOUS VOULEZ LE COUPABLE, LÉGENDAIRE RAZZIA ?
LE VOICI ...
... AINSI QUE L'ARME DU CRIME !!
HUMMPF !!

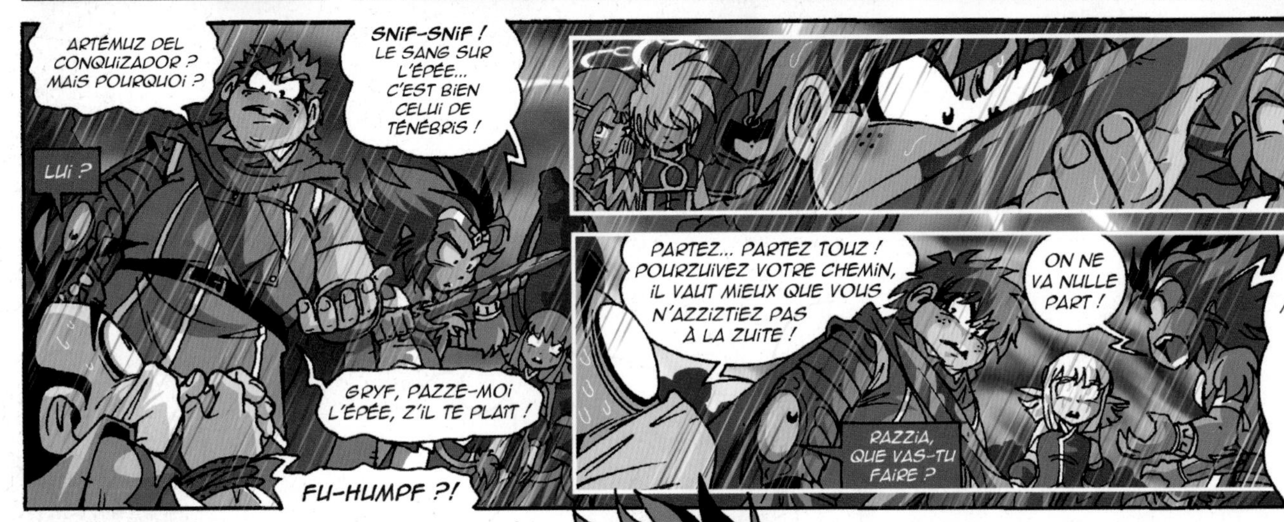

ARTÉMUZ DEL CONQUIZADOR ? MAIS POURQUOI ?
SNIF-SNIF ! LE SANG SUR L'ÉPÉE... C'EST BIEN CELUI DE TÉNÉBRIS !
LUI ?
GRYF, PAZZE-MOI L'ÉPÉE, Z'IL TE PLAIT !
FU-HUMPF ?!
PARTEZ... PARTEZ TOUZ ! POURZUIVEZ VOTRE CHEMIN, IL VAUT MIEUX QUE VOUS N'AZZIZTIEZ PAS À LA ZUITE !
RAZZIA, QUE VAS-TU FAIRE ?
ON NE VA NULLE PART !
ÉCOUTE, RAZZIA ! TÉNÉBRIS MÉRITE QU'ON LUI RENDE JUSTICE. MAIS PAS QUESTION QU'ON TE LAISSE TOUT SEUL, ON RESTE AVEC T...

Y EN A MARRE !!

LE CONVOI A DÉJÀ PRIS PLUSIEURS JOURS DE RETARD ET SI ON VEUT POUVOIR TE SAUVER, IL FAUT QUE KALANDRE ARRIVE À DESTINATION LE PLUS VITE POSSIBLE !!
ME SAUVER ?
MAIS DE QUOI TU PARLES, SHIMY ?

DE L'ÉCLAT DE L'ÉPÉE D'ANATHOS QUE TU AS DANS LE CORPS, ABRUTI ! NIER TON ÉTAT NE TE SAUVERA PAS, SEULE KALANDRE EN A LE POUVOIR. MAIS IL FAUT POUR CELA ATTEINDRE LE MONDE DES DIEUX !!! JE LUI AI PROMIS QUE JE L'Y AIDERAI ET JE TIENDRAI PAROLE. ALORS NOUS PARTONS, C'EST BIEN CLAIR ??
OU... OUI, MAMOUR !!
DAME KALANDRE, VOUS TIENDREZ ÉGALEMENT PAROLE, N'EST-CE PAS ?

N'AYEZ CRAINTE, LÉGENDAIRE SHIMY.
JE VOUS PROMETS QUE D'ICI PEU, J'AURAI RETIRÉ CET ÉCLAT DE MÉTAL DU CORPS DE VOTRE COMPAGNON !
2

MAINTENANT PARTEZ, ZE VOUS EN PRIE.
COMME POUR TÉNÉBRIZ ... MON VOYAZE Z'ARRÊTE IZI.
LE CONVOI EST LOIN, À PRÉSENT.
PERZONNE NE RIZQUE PLUS DE NOUS DÉRANZER.
IL EST TEMPS POUR TOI ET MOI D'AVOIR UNE PETITE CONVERZAZION, ARTÉMUZ !!
PARLE !!
J'AI RIEN FAIIIIIT ! JE NE SUIS POUR RIEN DANS LA MORT DE LA LÉGENDAIRE TÉNÉBRIS ... C'EST UN COUP MONTÉ !!!
ZTOP !
GULPS !
ZE ZAIS...
... QUE TU ES INNOZENT !!

JE M'EN VEUX D'AVOIR LAISSÉ RAZZIA DERRIÈRE NOUS ALORS QU'IL VIENT DE PERDRE TÉNÉBRIS.
NOUS SOMMES DES LÉGENDAIRES ET LES LÉGENDAIRES N'ABANDONNENT PAS CEUX QUI ONT BESOIN D'EUX !

IL N'Y A PLUS DE "LÉGENDAIRES" QUI TIENNE, GRYF !
TOUT EST UNE QUESTION DE SURVIE POUR NOUS TOUS, C'EST CHACUN POUR SOI, À PRÉSENT !
RAZZIA A FAIT SON CHOIX ! MOI, J'AI FAIT LE MIEN ...

... ET IL S'APPELLE KALANDRE !!

DANAËL ET HALCYON, JE VOUS FÉLICITE !! GRÂCE À VOTRE PERSPICACITÉ ET VOTRE INGÉNIOSITÉ, RAZZIA VA ÉLIMINER CET ARTÉMUS.
NOUS VOICI AINSI DÉBARRASSÉS DE LA TROP CURIEUSE TÉNÉBRIS ET DE CE PARASITE SCRIBOUILLARD. QUANT À RAZZIA, SON ABSENCE NE NUIRA PAS À MON PLAN À CE STADE DE NOTRE VOYAGE.

TOUTES LES PIÈCES DU PUZZLE SONT À PRÉSENT EN PLACE ET NOTRE PÉRIPLE TOUCHE À SA FIN...

... VERS SA ...
... DESTINATION FINALE !!!

HÉ ! QU'EST-CE QUI SE PASSE ?
C'EST QUOI, CES ÉCLAIRS ??
ON DIRAIT QUE ÇA VIENT DU PALAIS DE KALANDRE !
4

SHIMY, QU'EST-CE QUE TU FAIS ?
ÉLOIGNE-TOI !
HAAAA !!
PAS MOYEN DE SORTIR DU PÉRIMÈTRE !

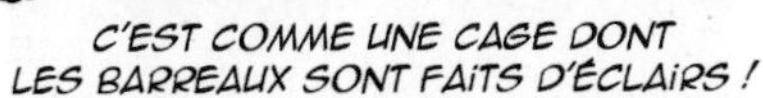
C'EST COMME UNE CAGE DONT LES BARREAUX SONT FAITS D'ÉCLAIRS !

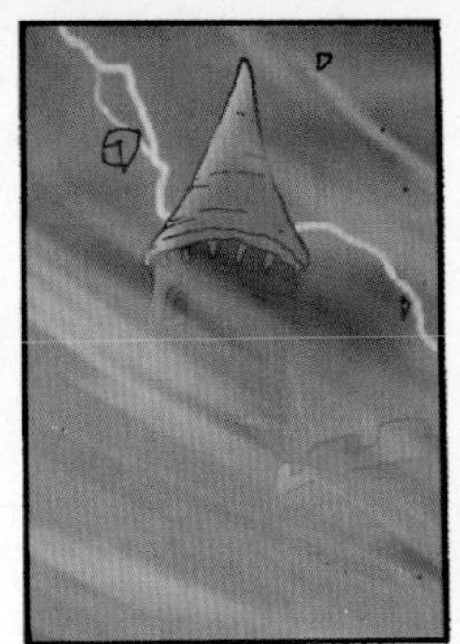

GRYF, DIS-MOI QUE JE RÊVE !
C'EST PLUTÔT UN CAUCHEMAR.
NOUS... NOUS SOMMES À...

... CASTHELL, LE CHÂTEAU DU SORCIER DARKHELL !!
COMMENT SOMMES-NOUS ARRIVÉS ICI ?
CE LIEU SE TROUVE À L'AUTRE BOUT D'ALYSIA !!!

EST-CE QU'ON A ÉTÉ TÉLÉPOR...
HAAAAAAAAAAAA

CASTHELL ? MAIS C'EST DE CET ENDROIT QUE VIENT LE POISON JOVÉNIA !!! NOUS SOMMES EN TRAIN DE RESPIRER DE L'AIR EMPOISONNÉ ... NOUS ALLONS MOURIR !!

SHIMY ! TU... TU AS ENTENDU ? ÇA CRAINT !

IL N'Y A AUCUN POISON DANS L'AIR ... JE NE COMPRENDS PAS !!
SHIMY !!

GRYF ?!
SMiLEY !! ON PEUT SAVOIR CE QUI TE PREND ??
RECOMMENCE UN PEU ET ÇA VA BARDER POUR TA TRONCHE !!
RENDEZ-VOUS, LÉGENDAIRES !!
TOUTE RÉSISTANCE EST iNUTILE...
... ALORS PLUS UN GESTE !
GALATÉE... TOi AUSSI ?

ATTENTiON À NE PAS MALMENER LE LÉGENDAIRE GRYF.
iL EST LE DÉTENTEUR DE L'ULTiME iNGRÉDiENT DONT J'AI BESOiN ...

... POUR ANÉANTiR LES DiEUX ET LEUR MiSÉRABLE MONDE REFUGE !

TU N'ES PAS UN TUEUR ... ZA ZE VOIT AU PREMIER COUP D'ŒIL.
MAIS ZE VEUX ZAVOIR POURQUOI ON CHERCHE À TE FAIRE PORTER LE CHAPEAU.
C'EST QUE J'EN SAIS RIEN, MOI !

MAIS BON...
IL FAUT DIRE QUE MON TALENT D'ÉCRIVAIN M'ATTIRE SOUVENT LA JALOUSIE DE MES CONFRÈRES, ALORS IL N'EST PAS ÉTONNANT QUE...

TE FOUS PAS DE MOI !!!
TU ME CACHES QUELQUE CHOSE ET ZE VEUX ZAVOIR ZE QUE Z'EST !!
AS-TU UN LIEN AVEC LA MORT DE TÉNÉBRIS ?

J'AI PEUT-ÊTRE DES ÉCLAIRCISSEMENTS À VOUS APPORTER.
REGARDEZ QUI ZORT DE ZON TROU !

CETTE ARMURE ... VOUS ÊTES...
IKAËL, LE COMMANDANT DES FAUCONS D'ARGENT ?!
ZE CHER COMMANDANT... ZE ME DEMANDAIS QUAND EST-ZE QUE VOUS ALLIEZ VOUS MANIFESTER. VOUS N'AVEZ RIEN TROUVÉ DE MIEUX POUR NOUS EZPIONNER QUE DE VOUS DÉGUISER EN FIDÈLE DE KALANDRE ?
AINSI, VOUS AVIEZ DEVINÉ QUE JE VOUS SUIVAIS ?
BAH, JE NE SUIS PAS ÉTONNÉ. LE ROI LARBOSA M'A DEMANDÉ DE VOUS SURVEILLER POUR VÉRIFIER VOTRE NIVEAU DE COMPLICITÉ AVEC LA PROPHÉTESSE.
HAAHG !
MAIS DE TOUTE ÉVIDENCE, CELLE-CI S'EST JOUÉE DE NOUS TOUS, ALLANT JUSQU'À FAIRE ACCUSER DE MEURTRE UN INNOCENT COMME CET HOMME ICI PRÉSENT.
VIENS PAR LÀ, TOI !

HÉÉÉ ! RENDEZ-MOI MON MANTEAU ! Z'AVEZ QU'À VOUS EN TROUVER UN AUTRE !!
CE VIEUX TORCHON RAPIÉCÉ SERAIT-IL UN HÉRITAGE FAMILIAL ? LA DERNIÈRE FOIS QUE J'AI VU UN TEL MANTEAU, C'ÉTAIT DANS UN LIVRE HISTORIQUE ILLUSTRÉ. JE CROIS QUE L'HOMME QUI LE PORTAIT...
MAIS QU'EST-ZE QU'ILS FONT ?

... ÉTAIT LE GRAND PROPHÈTE ROKAMADOOR !!!

ROKAMADOOR, LE TYPE QUI A ÉCRIT L'ALYZTORY ? ARTÉMUZ... ZERAIT ZON DESZENDANT ?

ROKAMADOOR EST LE PLUS GRAND PROPHÈTE DE NOTRE MONDE. IL EST NOTAMMENT CONNU POUR AVOIR RÉDIGÉ IL Y A PLUS DE 3 000 ANS L'ALYSTORY, UN LIVRE RELATANT LES PLUS GRANDS ÉVÉNEMENTS À VENIR D'ALYSIA.
DE GÉNÉRATION EN GÉNÉRATION, SES DESCENDANTS SE SONT VANTÉS D'AVOIR HÉRITÉ DE SES VISIONS PROPHÉTIQUES. MAIS LE FAIT EST QUE JAMAIS NE FUT PROUVÉ QUE SA DESCENDANCE AVAIT ACQUIS SON DON DE DIVINATION.
7

DE LA... DIVINAZION ?
P... PARDON ?

TU T'ES COMPORTÉ BIZARREMENT AVEC TÉNÉBRIZ DURANT TOUT LE VOYAZE.
RÉPONDS À MA QUEZTION, ARTÉMUZ...
... AS-TU EU UNE VISION DE ZA MORT ??

AT... ATTENDEZ ! CE... CE N'EST PAS SI SIMPLE !

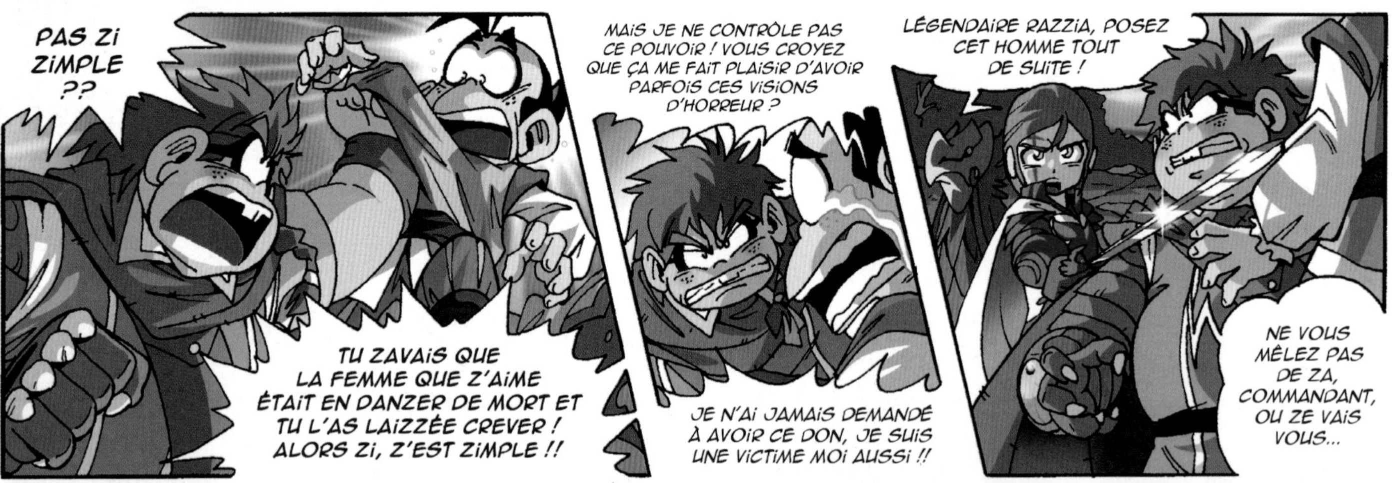
PAS ZI ZIMPLE ??
TU ZAVAIS QUE LA FEMME QUE Z'AIME ÉTAIT EN DANZER DE MORT ET TU L'AS LAIZZÉE CREVER ! ALORS ZI, Z'EST ZIMPLE !!
MAIS JE NE CONTRÔLE PAS CE POUVOIR ! VOUS CROYEZ QUE ÇA ME FAIT PLAISIR D'AVOIR PARFOIS CES VISIONS D'HORREUR ?
JE N'AI JAMAIS DEMANDÉ À AVOIR CE DON, JE SUIS UNE VICTIME MOI AUSSI !!
LÉGENDAIRE RAZZIA, POSEZ CET HOMME TOUT DE SUITE !
NE VOUS MÊLEZ PAS DE ZA, COMMANDANT, OU ZE VAIS VOUS...

RAZZIA, NE TE TROMPE PAS D'ENNEMI !!
AMY, TOI AUSSI ?
ÉCOUTEZ DONC VOTRE BRAS, C'EST LA VOIX DE LA RAISON.

J'ADORAIS TÉNÉBRIS, TU LE SAIS, MON AMI. MAIS TU NE SERS PAS LES VALEURS QUI ÉTAIENT LES SIENNES EN AGISSANT DE LA SORTE.

ELLE EST MORTE DANS LE SANG MAIS C'EST TOI QUI SALIS SA MÉMOIRE !

SPLASH !

TOUZ EN ROUTE ! ON DOIT ZE DÉPÊCHER DE RATTRAPER LE CONVOI.
Y A UNE FEMME À QUI Z'AI ENVIE DE PARLER ENTRE ZINQ YEUX DE LA MORT DE TÉNÉBRIZ ET ZE ZENS QUE ZE VAIS PAS AIMER ZE QU'ELLE AURA À DIRE.

ARTÉMUZ, TU NOUS ACCOMPAGNES PARZE QUE KALANDRE A PEUR DE TOI MANIFEZTEMENT. MAIS ZETTE HIZTOIRE FINIE, ON RÉGLERA NOS COMPTES CAR TU AS UNE DETTE ENVERS MOI.
JE PRÉSUME QUE VOUS NE PRENEZ PAS LES CHÈQUES ?

8

JADINA !!
QU'EST-CE QUE VOUS LUI AVEZ FAIT, ESPÈCE DE MALADE ?

JE N'AI RIEN FAIT À LA PRINCESSE ... POUR L'INSTANT !
MAIS DANS QUELQUES INSTANTS, ELLE AURA SON RÔLE À JOUER, TOUT COMME VOTRE CHER COMPAGNON. LE VÔTRE ÉTAIT DE ME PERMETTRE D'ACCÉDER AUX PIERRES DIVINES ET JE VOUS EN REMERCIE.

DANAËL, TOI AUSSI TU...

LES PIERRES DIVINES ? MAIS BIEN SÛR ! LES RUINES SOUS L'OCÉAN... L'ANTRE DU GARDIEN ! TOUT CE VOYAGE ÉTAIT UNE MASCARADE, VOUS POUVIEZ NOUS TÉLÉPORTER ICI QUAND BON VOUS SEMBLAIT MAIS IL VOUS FALLAIT RÉCUPÉRER LES PIERRES D'ABORD...

... ET SEULS MES POUVOIRS ÉLÉMENTAIRES POUVAIENT VOUS Y DONNER ACCÈS !!

VOUS ÊTES PERSPICACE... MAIS UN PEU TROP TARD, HÉLAS.
QUANT À NOTRE JAGUARIAN ICI PRÉSENT...

PLUS UN MOT !
JE SAIS CE QUE VOUS VOULEZ DE MOI !!
GRYF ?
VOUS CONVOITEZ L'ÉCLAT D'ÉPÉE DIVINE QUI EST LOGÉ DANS MON CORPS, N'EST-CE PAS ?
EN SON TEMPS, ANATHOS AVAIT FUSIONNÉ LES PIERRES DIVINES POUR ANÉANTIR LA PREMIÈRE ALYSIA. GRÂCE AU BOUT DE MÉTAL LOGÉ PRÈS DE MON CŒUR, VOUS VOULEZ REPRODUIRE SON GESTE EN CRÉANT UNE ARME...
... CAPABLE DE DÉTRUIRE UN MONDE !!

EH BIEN, QUI AURAIT CRU ? JE SUIS ÉBLOUIE DEVANT TANT DE... CLAIRVOYANCE !

DANAËL ...
POURQUOI...
NE... NE LA LAISSE PAS F... FAIRE !
... N'AGIS-TU PAS ?

HO, MAIS IL A DÉJÀ FAIT BEAUCOUP, PRINCESSE...
... COMME TUER VOTRE SOEUR TÉNÉBRIS !!

VOUS ME REGARDEZ COMME UN MONSTRE ! VOUS ME JUGEZ SANS MÊME SAVOIR POURQUOI JE FAIS TOUT ÇA...
... SANS MÊME CONNAÎTRE MON HISTOIRE !!!

J'AI VU LE JOUR DANS LE MONDE ELFIQUE IL Y A PLUS DE 5 000 ANS. ENFANT MÉTISSE D'UNE ELFE ET D'UN DIEU...
... TOUT COMME MON FRÈRE JUMEAU ASTÉRION !!
À CETTE ÉPOQUE, MON MONDE ÉTAIT PEUPLÉ D'UNE MULTITUDE DE DIVINITÉS TELLE QU'ON NE POUVAIT LES COMPTER.
LES DIEUX ÉTAIENT PARTOUT, RÉGISSANT LES MOINDRES ASPECTS DE NOS VIES !
NOTRE MÈRE KAMILA ÉTAIT LEUR GRANDE PRÊTRESSE ET SE FAISAIT LA VOIX DU PEUPLE ELFIQUE AUPRÈS DES DIVINITÉS ET DE LEUR ROI TOUT-PUISSANT...
... AKAMANDIS, NOTRE PÈRE !! IL ÉTAIT AUSSI PUISSANT ET CHARISMATIQUE QU'IL ÉTAIT INCAPABLE DE MONTRER LE MOINDRE SENTIMENT ENVERS NOUS, SA FAMILLE ELFIQUE.
MON FRÈRE ET MOI ÉTIONS TERRIFIÉS PAR LUI À CHAQUE FOIS QU'IL VENAIT AU TEMPLE POUR DISCUTER DES AFFAIRES D'ÉTAT AVEC NOTRE MÈRE. JAMAIS IL N'A TÉMOIGNÉ LE MOINDRE INTÉRÊT POUR SES ENFANTS, NE NOUS A ADRESSÉ UN SIMPLE MOT...
... OU NE NOUS A EXPLIQUÉ POUR QUELLE RAISON SES PAIRS ET LUI ONT QUITTÉ NOTRE MONDE DU JOUR AU LENDEMAIN, NOUS ABANDONNANT...
... À LA COLÈRE DU PEUPLE ELFIQUE QUI, DEVENU ORPHELIN DES DIEUX, LAISSA ÉCLATER SON COURROUX...
... EN SE DÉCHAÎNANT CONTRE TOUT CE QUI SUBSISTAIT DU POUVOIR DES DIEUX, SYMBOLES, MONUMENTS ... OU MA FAMILLE !
10

NOTRE MÈRE FUT TUÉE SOUS NOS YEUX.

NOUS AURIONS CONNU LE MÊME SORT SI MON FRÈRE ASTÉRION N'AVAIT HÉRITÉ PRÉCOCEMENT DES POUVOIRS DESTRUCTEURS DE NOTRE PÈRE...

... POUR REPOUSSER ET PULVÉRISER...
... NOS ASSAILLANTS !!

MAIS NOUS NE POUVIONS PAS AFFRONTER TOUT UN PEUPLE, PAS PLUS QUE NOUS NE POUVIONS CALMER SA COLÈRE CONTRE LES DIEUX... COLÈRE QUE NOUS PARTAGIONS.
ALORS NOUS SOMMES PARTIS !
NOTRE FUITE DURA PRÈS D'UNE QUINZAINE D'ANNÉES...
... JUSQU'À CE QUE NOS POURSUIVANTS NOUS RETROUVENT. ET CETTE FOIS, ILS ÉTAIENT PRÊTS !!

LES ELFES LANCÈRENT UN SORTILÈGE D'EXTRACTION D'ÂME SUR ASTÉRION ET LE TERRASSÈRENT AINSI EN UN INSTANT, SANS QU'IL N'AIT EU LE TEMPS DE RÉAGIR.
POUR MA PART, JE N'AI RÉUSSI À LEUR ÉCHAPPER QUE PAR UN EXTRAORDINAIRE CONCOURS DE CIRCONSTANCES. C'EST EN EFFET CE JOUR-LÀ QUE MES POUVOIRS DIVINS ONT FAIT LEUR APPARITION, ME PERMETTANT DE M'ENFUIR...

... GRÂCE À LA TÉLÉPORTATION QUI M'ENVOYA À L'AUTRE BOUT DU MONDE ELFIQUE.
MAIS CE POUVOIR NE FUT PAS LE SEUL À SE MANIFESTER. CE JOUR-LÀ ÉTAIT ÉGALEMENT APPARU MON DON LE PLUS PRÉCIEUX... CELUI DE DIVINATION !!

GRÂCE À LUI, JE PUS DÉFINITIVEMENT ÉCHAPPER À CEUX QUI EN VOULAIENT À MA VIE. JE ME DÉCOUVRIS ÉGALEMENT LE DON D'ABSORPTION DE MAGIE QUI ME PERMIT DE TRAVERSER LES SIÈCLES SANS PLUS JAMAIS VIEILLIR...
... ET DE PLANIFIER UNE VENGEANCE CONTRE MON PÈRE ET SES SEMBLABLES QUI ONT MENÉ MA FAMILLE À LA MORT !!
11

POUR ARRIVER À MES FINS ET DÉTRUIRE LE MONDE DANS LEQUEL LES DIEUX AVAIENT ÉLU DOMICILE, IL ME FALLAIT DES CAPACITÉS ALLANT BIEN AU-DELÀ DE CE QUE JE POUVAIS FAIRE. J'AI DONC ENTREPRIS AU COURS DE CES DERNIERS MILLÉNAIRES DE MODIFIER LA DESTINÉE D'UN GROUPE DE PERSONNES MÉTICULEUSEMENT CHOISIES POUR LEUR FAIRE ACQUÉRIR LES POUVOIRS QUI SERAIENT UN JOUR NÉCESSAIRES À MES PLANS, N'HÉSITANT PAS POUR CELA À DÉCLENCHER DES ÉVÉNEMENTS AUX CONSÉQUENCES PARFOIS PLANÉTAIRES !!
J'AI CRÉÉ LE GROUPE DES LÉGENDAIRES EN VOUS AMENANT À ÊTRE CE QUE VOUS ÊTES AUJOURD'HUI. J'AI MODIFIÉ VOTRE DESTIN POUR QU'UN JOUR VOUS SOYEZ À MÊME DE M'AIDER DANS MON ENTREPRISE. POUR FORCER LES ÉVÉNEMENTS, J'AI MOI-MÊME BRISÉ LA PIERRE DE JOVÉNIA !! J'AI ÉTÉ JUSQU'À MANIGANCER LA RÉINCARNATION D'ANATHOS POUR VOUS POUSSER À ACQUÉRIR PLUS DE PUISSANCE, PLUS DE POUVOIRS DESTINÉS À ME SERVIR UN JOUR. J'AI PROVOQUÉ LA CHUTE DE LA PRINCESSE JADINA DANS LES MINES D'ORCHIDIA POUR QU'ELLE EN REVIENNE AVEC LA MAGIE DE GAMÉRA ET TANT D'AUTRES CHOSES. ÉNUMÉRER TOUS LES FAITS HISTORIQUES QUE J'AI MANIPULÉS POUR TOUS NOUS CONDUIRE ICI ET MAINTENANT VOUS GLACERAIT D'EFFROI !!

VOUS... VOUS AVEZ CHANGÉ L'AVENIR DE CHACUN DE NOUS. VOUS AVEZ MODELÉ NOS EXISTENCES POUR NOUS UTILISER COMME DES PIONS AFIN D'ACCOMPLIR VOTRE VENGEANCE LE MOMENT VENU ?
MAIS QUEL EST LE LIEN AVEC CET ENDROIT ?
POURQUOI SOMMES-NOUS DEVANT LE CHÂTEAU DE DARKHELL ?

PARCE QUE C'EST ICI QUE SE TROUVE LE PORTAIL MENANT...
... AU MONDE DES DIEUX !

LA DATE DE L'ALIGNEMENT APPROCHANT À GRANDS PAS, J'AI CRÉÉ LE POISON JOVÉNIA. IL N'EN FALLUT PAS MOINS POUR DÉCLENCHER UNE PEUR HYSTÉRIQUE CHEZ LES ALYSIENS...

... ET LES CONDUIRE TELS DES MOUTONS JUSQU'ICI AVEC LA PROMESSE D'UNE TERRE D'ACCUEIL ILLUSOIRE.

VRAM

OÙ EST PASSÉ LE CONVOI ? ON AURAIT DÛ LE RATTRAPER DEPUIS UN MOMENT.
LES TRAZES Z'ARRÊTENT IZI. Z'EST COMME ZI...
... COMME Z'IL Z'ÉTAIT... VOLATILISÉ !!

PAS QUESTION QUE JE LES SUIVE DANS LEUR QUÊTE INSENSÉE ! JE SUIS TROP JEUNE ET BEAU POUR MOURIR, J'AI L'AVENIR DEVANT MOI !!

MAIS ...
OÙ SONT PASSÉES LES CLÉS ?!
FULL CONTACT

C'EST ÇA QUE VOUS CHERCHEZ ?
BAM ! BAM ! BAM !
JE SUIS SCANDALISÉ ! CE N'EST NI PLUS NI MOINS QU'UNE PRISE D'OTAGE ET JE ME PLAINDRAI AUPRÈS DE VOTRE ROI EN PERSONNE !

DÉSOLÉE D'INTERROMPRE UNE SI BRILLANTE DISCUSSION MAIS JE VOUS INFORME QUE LE CONVOI A ÉTÉ TÉLÉPORTÉ !
?!
?!
QUOI ? TU ES ZÛRE, AMY ?

OUI ! VOS YEUX D'HUMAINS NE PEUVENT LES APERCEVOIR, MAIS JE VOIS LES TRACES ÉNERGÉTIQUES D'UNE TÉLÉPORTATION DE MASSE.
POURRAIS-TU TE ZERVIR DE ZES "TRAZES" POUR ROUVRIR LE PAZZAZE ?
POSSIBLE. JE POURRAIS PEUT-ÊTRE MÊME PASSER À TRAVERS LA BRÈCHE MAIS...

MAIS QUOI ?
... VOS CORPS NE SUPPORTERONT SANS DOUTE PAS LA PRESSION. VOUS RISQUEZ DE FINIR EN BOUILLIE SI VOUS TENTEZ LE PASSAGE.

ZUT !!
HA ! JE SUIS RAVI DE CONSTATER QUE LA RAISON REPREND LE PAS DANS NOTRE PETIT GROUPE ET CE N'EST PAS...

ON TENTE LE COUP !!
MAIS C'EST N'IMPORTE QUOI !!!

NE VOUS INQUIÉTEZ PAS, Z'AI UN PLAN ! ARTÉMUZ, ON VA AVOIR BESOIN DE TOI. ALORS Z'EST L'OCCASION OU ZAMAIS POUR TOI DE TE RACHETER !
T'AS MÊME PAS EZZAYÉ D'EMPÊCHER LA MORT DE TÉNÉBRIZ...
... ALORS FAIS AU MOINS EN ZORTE QU'ELLE NE ZOIT PAS MORTE EN VAIN !
PFF !
14

LÂCHE-MOI TOUT DE SUITE, TÊTE DE BILLE, QUE JE REFASSE LE PORTRAIT À TA GROGNASSE DE CHEF !!

HÉ !
GRYF !!!
OÙ TU CROIS ALLER...
... COMME ÇA ?
HAAAAAAA
SHIMY !!!

LA LÉGENDAIRE EST BLESSÉE, AIDONS-LA !
SON BRAS GAUCHE ...
... IL EST BRISÉ !
IL FAUT LUI FAIRE UNE ATTELLE !
AVEC VOTRE PERMISSION, MÈRE KALANDRE, JE VAIS ACHEVER LA LÉGENDAIRE.

VOUS AVEZ GAGNÉ !!!
VOUS AVEZ GAGNÉ, KALANDRE. PRENEZ L'ÉCLAT DE MÉTAL DIVIN, JE NE ME DÉBATTRAI PAS, JE VOUS LE PROMETS.

MAIS PAR PITIÉ, ÉPARGNEZ LA VIE DE SHIMY. ELLE EST TOUT POUR MOI !!

VOILÀ UN BIEN NOBLE GESTE ! SOIT, SA VIE SERA ÉPARGNÉE EN ÉCHANGE...
... DE VOTRE SACRIFICE !
SHIMY...
15
GRYF...

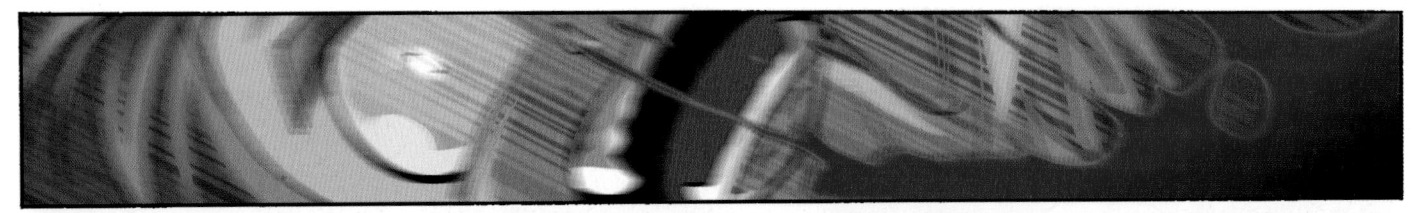

UNE GEMME DE JADE PUR CRÉÉ PAR L'ARBRE DE GAMÉRA EN PERSONNE ...
... UN ÉCLAT DE MÉTAL D'UNE ÉPÉE AYANT APPARTENU À UN DIEU ...
... ET QUATRE PIERRES DIVINES CRÉATRICES DE MONDES.
TOUT EST ENFIN RÉUNI !!

16

LE TEMPS DES FAUX-SEMBLANTS EST RÉVOLU !! ME VOICI SOUS MA VÉRITABLE APPARENCE, EMPLIE DE HAINE ...
... ET TOUTE-PUISSANTE !!!

À PRÉSENT RÉVEILLE-TOI, KAMINODOA !!!
JE T'ORDONNE DE SORTIR DE TON SOMMEIL !!
LIBÈRE-TOI DE TES CHAÎNES !!!

RRRRRRRRRRRRRRRRRRRRRRRRRRRRRRRRRRRRRRRRRRRRRRRR
LA TERRE S'OUVRE SOUS NOS PIEDS !
MÈRE KALANDRE, QU'ÊTES-VOUS EN TRAIN DE FAIRE ?

KAMINODOA ... EST RÉVEILLÉ !!

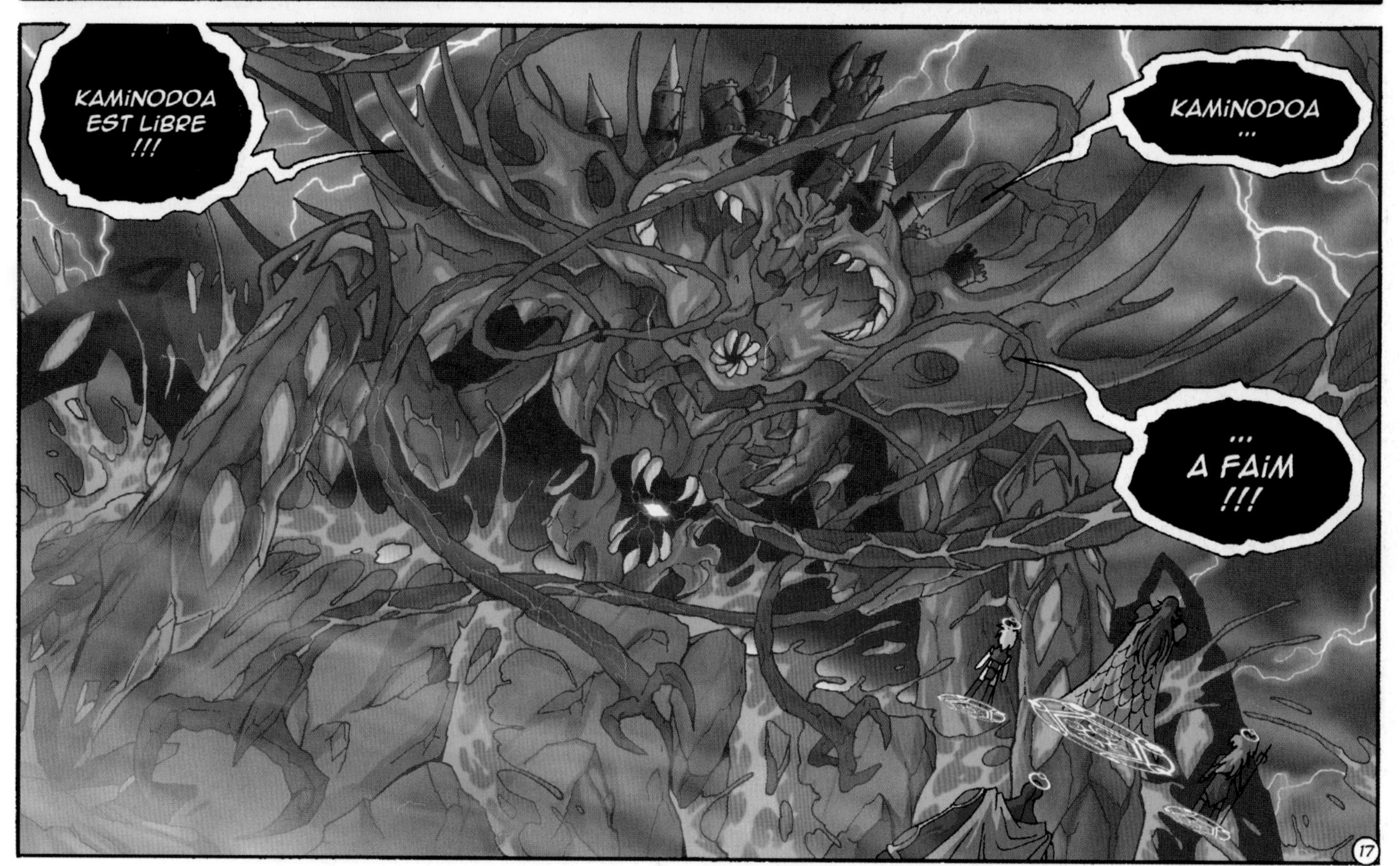
KAMINODOA EST LIBRE !!!
KAMINODOA ...
... A FAIM !!!
17

MES SALUTATIONS, KAMINODOA !! APRÈS TANT DE TEMPS EMPRISONNÉ SOUS TERRE, J'IMAGINE EN EFFET COMME TA FAIM DOIT ÊTRE GRANDE.
TU N'AS QU'À TE SERVIR !

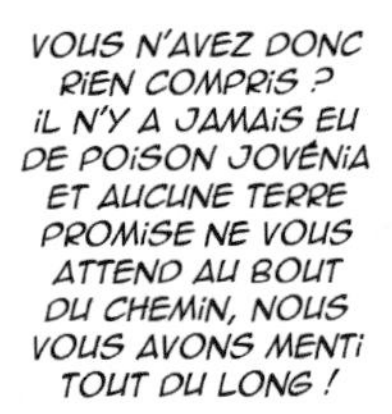
SAINTE MÈRE KALANDRE !
QUE SIGNIFIE TOUT CECI ? NOUS AVONS TOUT ABANDONNÉ POUR VOUS SUIVRE LE LONG DE CET EXODE. NE NOUS LAISSEZ PAS MOURIR DU POISON JOVÉNIA, GUIDEZ-NOUS VERS LA TERRE PROMISE !
VOUS N'AVEZ DONC RIEN COMPRIS ? IL N'Y A JAMAIS EU DE POISON JOVÉNIA ET AUCUNE TERRE PROMISE NE VOUS ATTEND AU BOUT DU CHEMIN, NOUS VOUS AVONS MENTI TOUT DU LONG !

VOTRE PRÉSENCE EN CES LIEUX N'A QU'UN BUT ...

HAAAA !!
AU SECOURS !!
HAAA !!
À L'AIDE !

... FINIR DANS L'ESTOMAC DU KAMINODOA !!

CELA NE L'OCCUPERA QU'UN TEMPS. DÉPÊCHONS-NOUS DE REJOINDRE LE PORTAIL. ASGAROTH, GALATÉE, EN ROUTE !

18

FAiM !
FAiM !!
FAiM !!!

LE VOiCi !

LE PORTAiL DiMENSiONNEL ...
... QUi ME MÈNERA AU MONDE SECRET DES DiEUX !!

MES CHERS DYNAMÉiS ...
... JE SUiS DÉSOLÉE !!

iL EST TEMPS POUR VOUS DE ME RESTiTUER UN BiEN Ô COMBiEN PRÉCiEUX !
KCHHR

JE... J'Ai CRU QUE MON CORPS SE DÉCHiRAiT EN DEUX !!
CES SPHÈRES SONT SORTiES DE NOS CORPS !!
QU'EST-CE QUE C'EST QUE CES TRUCS ?

CE SONT DES...
... FRAGMENTS D'ÂME !!
19

LORSQUE LES MAGES DU MONDE ELFIQUE ONT TUÉ MON FRÈRE JUMEAU, ILS ONT SCINDÉ SON ÂME EN TROIS PARTIES AFIN QUE JAMAIS IL NE PUISSE SE RÉINCARNER EN UN ÊTRE UNIQUE.
ÉTANT DONNÉ LES TERRIFIANTS POUVOIRS D'ASTÉRION, LEUR PLUS GRANDE CRAINTE ÉTAIT QU'IL PUISSE RESSUSCITER ET PRENDRE UN JOUR SA REVANCHE.

IL M'AURA FALLU DES MILLÉNAIRES POUR RETROUVER ET RÉUNIR LES TROIS FRAGMENTS RÉINCARNÉS À TRAVERS LES DEUX MONDES.
HALCYON
DANAËL
GALATÉE
VOUS ÊTES TOUS TROIS ...
... LA RÉINCARNATION DE MON FRÈRE ASTÉRION !

C'EST... C'EST LA RAISON POUR LAQUELLE VOUS NOUS AVEZ CHOISIS POUR DEVENIR VOS DYNAMÉIS ? PARCE QUE NOS ÂMES ABRITAIENT CELLE DE VOTRE FRÈRE ?
MAIS... SI HALCYON, DANAËL ET MOI DÉTENIONS L'ÂME DE VOTRE JUMEAU, ALORS QUE RENFERME LE CORPS ARTIFICIEL ...

... D'ASGAROTH ?!?

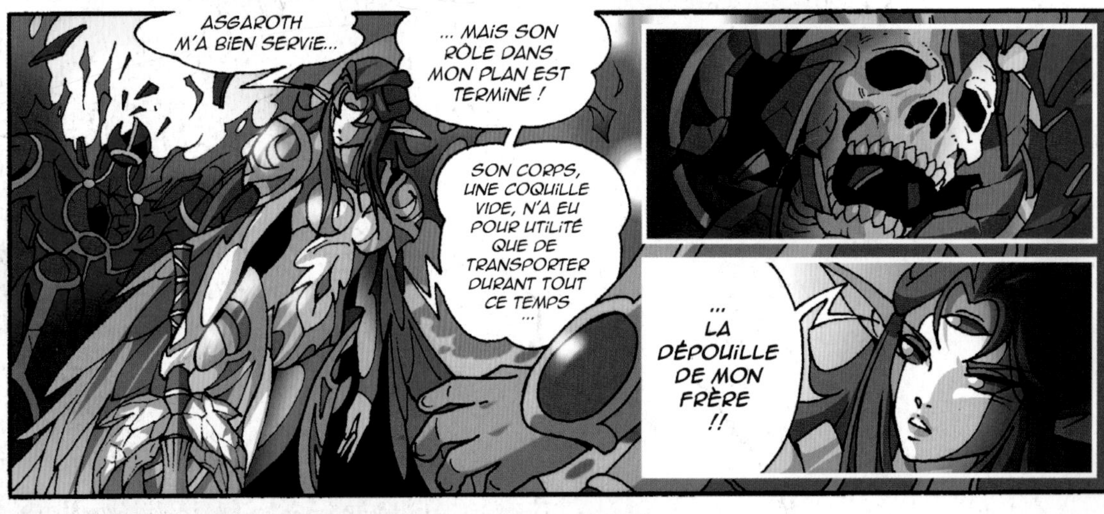
ASGAROTH M'A BIEN SERVIE...
... MAIS SON RÔLE DANS MON PLAN EST TERMINÉ !
SON CORPS, UNE COQUILLE VIDE, N'A EU POUR UTILITÉ QUE DE TRANSPORTER DURANT TOUT CE TEMPS ...
... LA DÉPOUILLE DE MON FRÈRE !!

REVIENS-MOI, ASTÉRION !!!
REVIENS À LA VIE !!

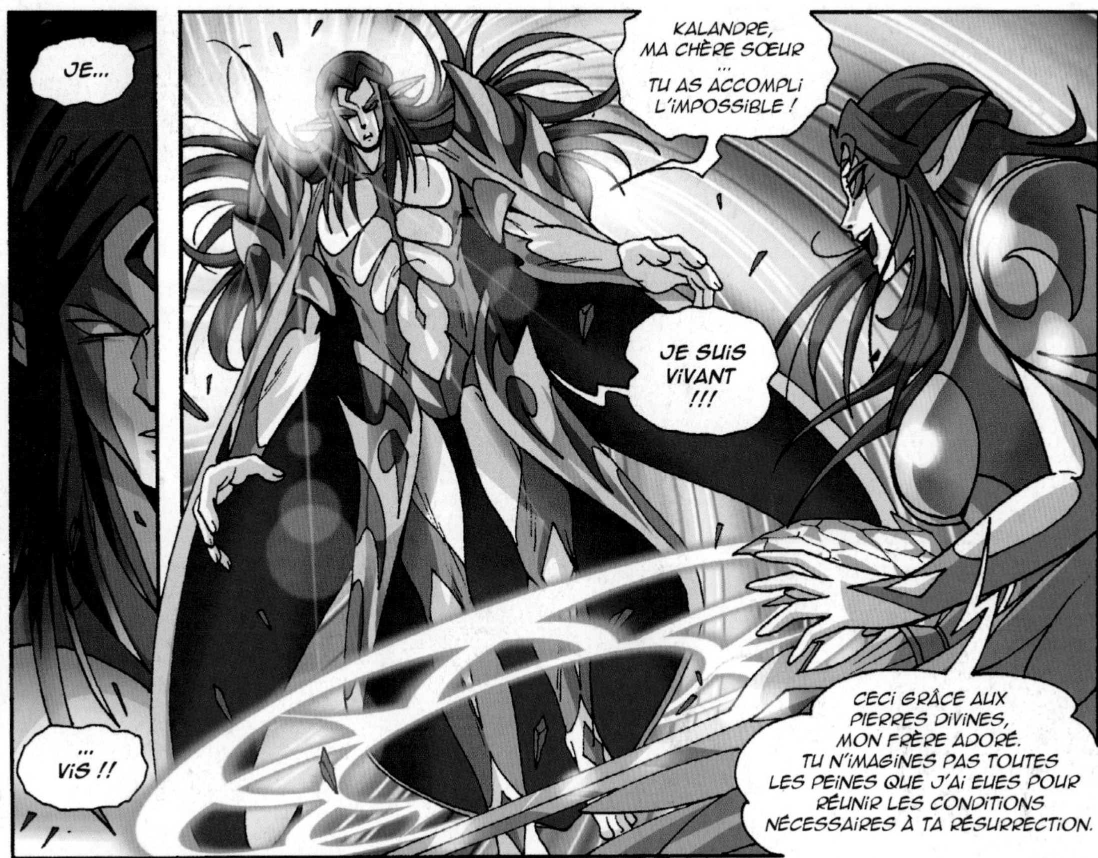
JE...
... VIS !!
KALANDRE, MA CHÈRE SOEUR ... TU AS ACCOMPLI L'IMPOSSIBLE !
JE SUIS VIVANT !!!
CECI GRÂCE AUX PIERRES DIVINES, MON FRÈRE ADORÉ. TU N'IMAGINES PAS TOUTES LES PEINES QUE J'AI EUES POUR RÉUNIR LES CONDITIONS NÉCESSAIRES À TA RÉSURRECTION.

À PRÉSENT, JE SUIS LÀ. NOUS SOMMES RÉUNIS À NOUVEAU... À JAMAIS.
COMME JE SUIS HEUREUSE !!
Z'ÊTES SÛRS D'ÊTRE JUSTE FRÈRE ET SOEUR ?

ASGAROTH ?!
IL EST ENCORE EN VIE, IL FAUT...

BEN QUOI ? ME DITES PAS QUE VOUS AVEZ VRAIMENT CRU QUE VOUS VOUS ÉTIEZ DÉBARRASSÉS DE NOUS ?
IL FAUDRAIT PAS OUBLIER QUI ON EST, LES GARS !
NOUS SOMMES... LES LÉGENDAIRES !!!
21

iLS... iLS SONT PLUS MORTS QUE ViVANTS, QU'EST-CE QU'iLS ESPÈRENT DANS LEUR ÉTAT ?

JAMAiS VU DE TELLES TÊTES DE MULE !
C'EST ...

... C'EST CE QUi FAiT LEUR FORCE !!

DYNAMÉiS !!!
ASTÉRiON ET MOi ALLONS FRANCHiR LE PORTAiL. NE LAiSSEZ PERSONNE NOUS SUiVRE...

... ET ÉLiMiNEZ CES DEUX-LÀ !!!

À VOS ORDRES, MÈRE KALANDRE !!!
SHiMY, NE PRENDS PAS MAL CE QUE JE VAiS TE DEMANDER MAiS... JE VOUDRAiS QUE TU ME LAiSSES AFFRONTER CES TROiS-LÀ TOUT SEUL.
DE QUOi ? NON MAiS OÙ T'AS VU QUE...
TU AS UNE TÂCHE PLUS iMPORTANTE, SHiMY !!

LA MiSSiON DES LÉGENDAiRES EST DE PROTÉGER CEUX QUi ONT BESOiN D'AiDE...
... ET LE CONVOi A BESOiN DE TA PROTECTiON, COMME TU PEUX LE VOiR !!
22

GRYF... ON NE VA PAS S'EN SORTIR, N'EST-CE PAS ?
...

ALLONS ...
... ARRÊTE DE DIRE DES BÊTISES !!

GALATÉE, HALCYON, OCCUPEZ-VOUS DE SHIMY !
JE ME CHARGE DE GRYF !!

TU N'AS RIEN DU DANAËL QUE J'AI CONNU ET RESPECTÉ ! APPROCHE UN PEU...
... ET TU VERRAS QUE JE NE SUIS PAS AUSSI FACILE À TUER QUE TÉNÉBRIS, ORDURE !!!

ZAAK

BRAOO
MAIS C'EST... LE SHARKOZY D'ARTÉMUS !!
23

ARTÉMUS ? iL EST ENCORE EN ViE ? ON AVAiT POURTANT FAiT CE QU'iL FALLAiT POUR QUE RAZZiA SE VENGE SUR LUi DE LA MORT DE TÉNÉBRiS !!

TU NE M'IMPRESSIONNES PAS AVEC TON FORMAT KING-SIZE !!!
C'EST LE MOMENT OU JAMAIS DE TE RENDRE !!
ME RENDRE ? JE VAIS TE BALAYER D'UN COUP D'ÉVENTAIL COMME TA COPINE TOUT À L'HEURE !!

KRUNK
QUE ... ?

iL... iL ARRIVE À AVANCER MALGRÉ MA TORNADE ... EN PLANTANT SES GRIFFES AU SOL !!!

JE T'Ai LAiSSÉ UNE CHANCE, GALATÉE.
À PRÉSENT...

... FiNi DE JOUER !!!
25

JE NE VOULAIS PAS EN ARRIVER LÀ.
MAIS SI ÇA... PEUT TE CONSOLER ...

... JE CROIS... QUE JE NE VAIS PAS TARDER... À TE REJOINDRE.

ÇA ...
... CRAINT.

GRYF ?!

S'IL VOUS PLAÎT, SAUVEZ-NOUS !!
LÂCHEZ-MOI !
IL FAUT QUE ...

MON MARI VIENT DE SE FAIRE DÉVORER SOUS MES YEUX PAR CETTE... HORRIBLE CRÉATURE. VOUS N'ALLEZ DONC PAS NOUS SAUVER ?

N'ÊTES-VOUS PAS UNE LÉGENDAIRE ?

JE... JE SUIS UNE LÉGENDAIRE ...
... ET QUELQU'UN M'A RAPPELÉ QU'UN LÉGENDAIRE N'ABANDONNE PAS CEUX QUI ONT BESOIN D'AIDE !!
ALORS NON, JE NE FUIRAI PAS !!!

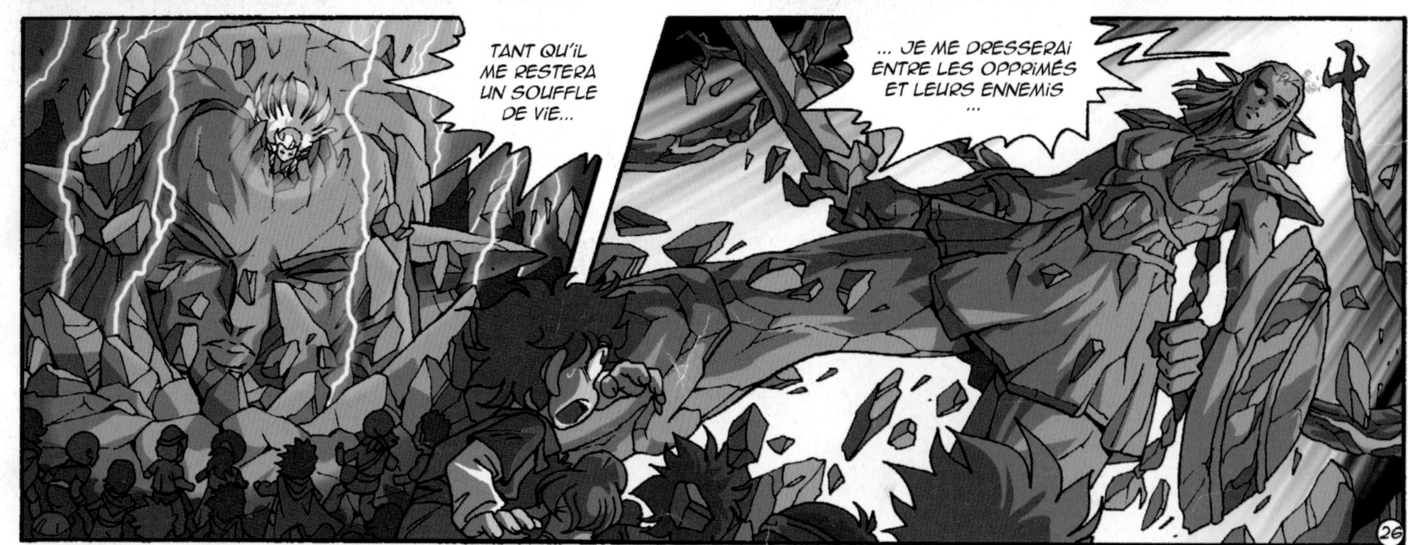

TANT QU'IL ME RESTERA UN SOUFFLE DE VIE...
... JE ME DRESSERAI ENTRE LES OPPRIMÉS ET LEURS ENNEMIS ...
26

... ET JE
ME BATTRAI !!!

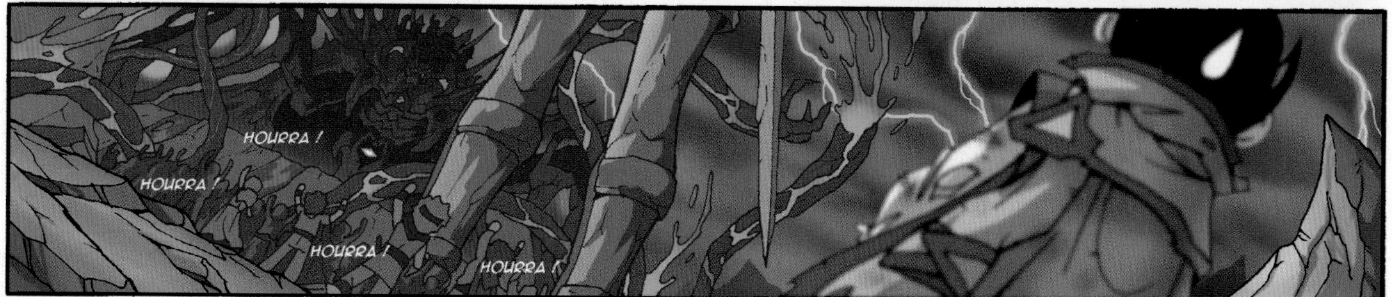
HOURRA !
HOURRA !
HOURRA !
HOURRA !

C'EST ...
C'EST ...
C'EST MAGNIFIQUE !!!
ET DIRE QUE J'AI FAILLI RATER TOUT ÇA. J'AI BIEN FAIT D'INSISTER POUR VENIR !!

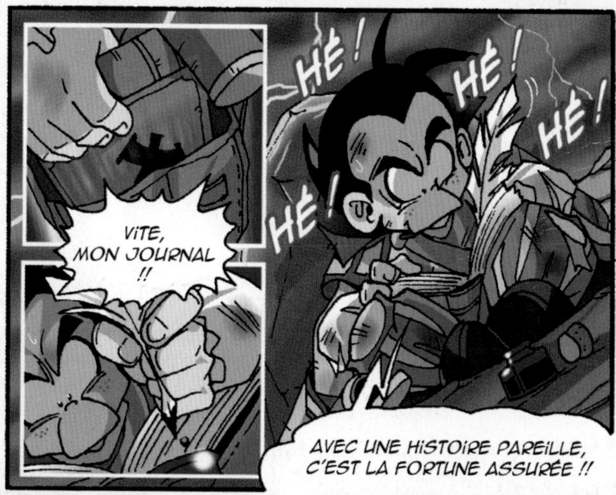
VITE, MON JOURNAL !!
HÉ ! HÉ ! HÉ ! HÉ !
AVEC UNE HISTOIRE PAREILLE, C'EST LA FORTUNE ASSURÉE !!

"ALORS QUE LE COMBAT FAIT RAGE ENTRE LES LÉGENDAIRES ET LES SOUS-FIFRES DE LA PROPHÉTESSE KALANDRE ...
... JE ME TIENS COURAGEUSEMENT FACE AU DANGER ET ARMÉ DE MA SEULE PLUME, JE RELATE...

... LES TERRIBLES AFFRONTEMENTS QUI SE DÉROULENT SOUS MES YEUX !!"

BONG
HA ! HA ! BIEN ZOUÉ, AMY !! LE VOILÀ DÉSARMÉ.
C'EST CE QU'ON APPELLE UN TRAVAIL D'ÉQUIPE !!
27

HA! HA! HA! HA! HA!

VOUS CROYEZ VRAIMENT QUE VOUS ÊTES SAUFS, QUE VOUS M'AVEZ VAINCU ? AU MÊME TITRE QUE CELLES DES AUTRES DYNAMÉIS, MON ARME POSSÈDE DES PROPRIÉTÉS MAGIQUES.
HA OUAIS ? EXPLIQUE-MOI AVANT QUE ZE TE REFAZZE LE PORTRAIT !

COMME L'ÉPÉE DE DANAËL, MA LANCE D'OR A LE POUVOIR DE RETOURNER À SON PROPRIÉTAIRE, C'EST-À-DIRE MOI ! MAIS SON AUTRE FACULTÉ EST AUTREMENT PLUS INTÉRESSANTE.
MA LANCE NE RATE JAMAIS SA CIBLE, OÙ QU'ELLE SE TROUVE, MÊME À L'AUTRE BOUT DU MONDE ! ET EN CE MOMENT, ELLE FILE À TRAVERS ALYSIA DANS SA DIRECTION.

OÙ ZE DIRIZE TA LANZE ? QUI EST TA ZIBLE ? RÉPONDS !

OÙ ? JE N'EN AI AUCUNE IDÉE. JE N'AI PAS BESOIN DE LE SAVOIR POUR TERRASSER MON ENNEMI.
QUI ? EH BIEN, DISONS QUE JE NE SERAI BIENTÔT PLUS LE SEUL...

... À ÊTRE DÉSARMÉ !!
RAZZIA ?
N... NON.
RAZZIA ?

RAZZIA ?

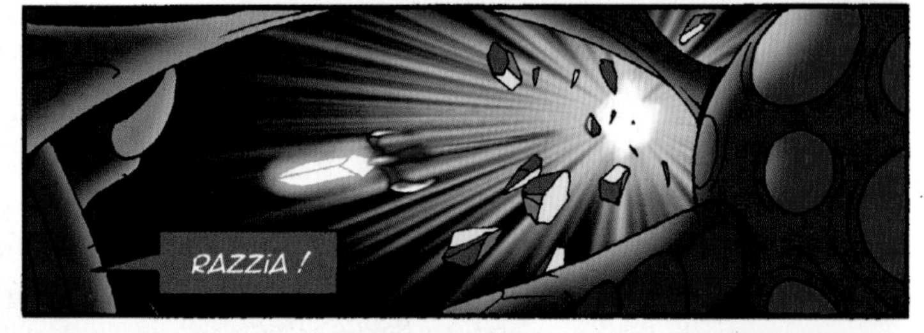
RAZZIA !

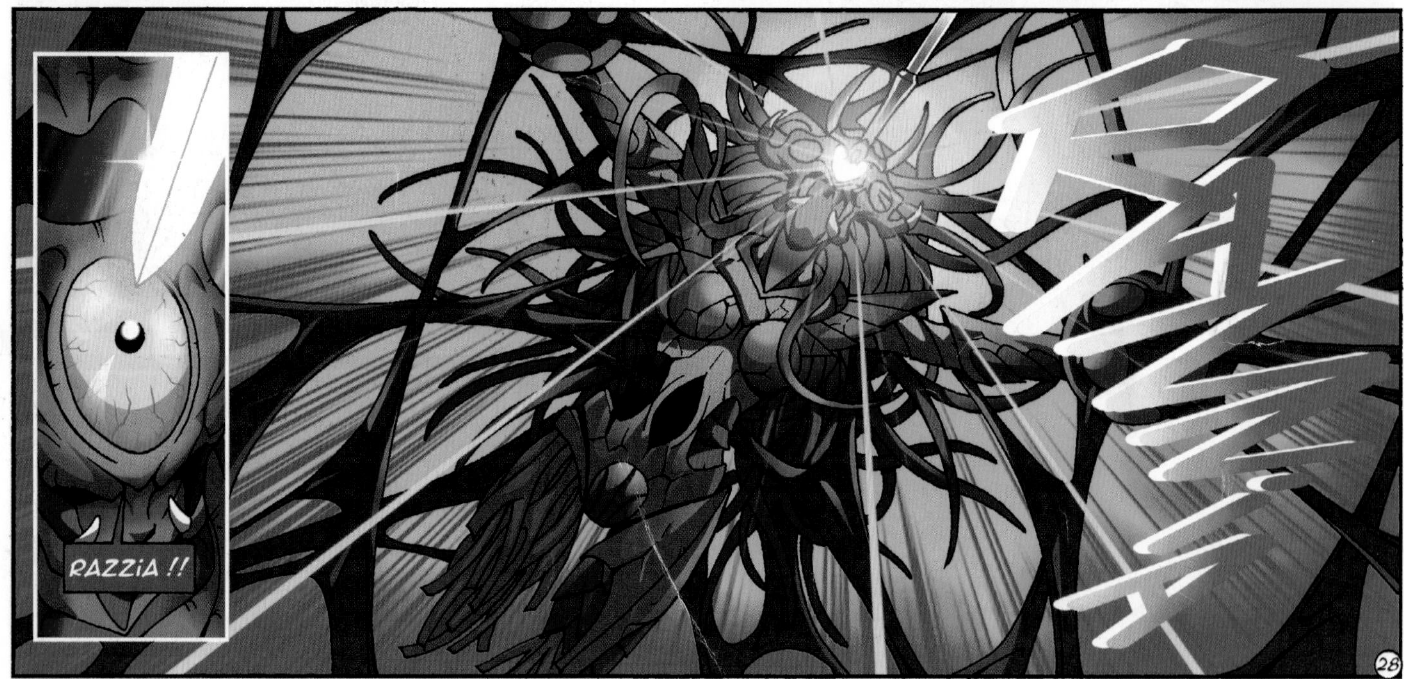
RAZZIA !!
28

RAZZiAA !!

MON... MON CORPS ORiGiNAL ViENT D'ÊTRE TUÉ PAR LA LANCE D'HALCYON !!! CE BRAS EST DEVENU iNSTABLE ET VA BiENTÔT EXPLOSER !!
RAZZiA !! iL FAUT QUE TU M'ARRACHES DE TON CORPS ... OU TU PÉRiRAS AVEC MOi !!
AMY...

TOUTES NOS AVENTURES ONT RÉCHAUFFÉ MON CŒUR QUE JE CROYAIS ÉTEINT !!
MERCi POUR... MERCi POUR TON AMiTiÉ, RAZZiA !!

COMME TOUT ÇA EST ATTENDRISSANT ! ALLEZ, RAZZiA, iL EST TEMPS DE LUi FAiRE TES ADiEUX, TU NE CROiS PAS ?

RAZZiA... QU'EST-CE QUE TU FAiS ??

QU'EST-CE QUE TU FAiS, iDiOT ??
TU VAS NOUS ENTRAÎNER DANS LA MORT !!!
TU NE MOURRAS PAS ZEULE, AMY.
TÉNÉBRiZ, MON AMOUR ... Z'ARRiVE !!

HAAAAAAAAAAAAAH

HALCYON !!
HALCYON ?

TES COMPAGNONS LÉGENDAIRES SONT EN TRAIN DE MOURIR LES UNS APRÈS LES AUTRES ET ÇA NE TE FAIT NI CHAUD NI FROID ? JE NE TE RECONNAIS PLUS, DANAËL ! QUE T'ARRIVE-T-IL ?
KLANG

JE...
JE NE SAIS PAS !

JE SUIS BIEN CONSCIENT QUE QUELQUE CHOSE NE VA PAS CHEZ MOI.
LA FEMME QUE J'AIME ET MES AMIS SONT MORTS SOUS MES YEUX ...
... ET POURTANT JE N'ÉPROUVE RIEN !!!

KLANG
HUNNG !
DEPUIS QUE J'AI TUÉ TÉNÉBRIS, JE M'INTERROGE SUR MES RÉACTIONS CAR ELLES N'ONT RIEN À VOIR AVEC LE DANAËL QUE J'ÉTAIS AVANT MA RÉSURRECTION. JE NE SUIS PLUS LE MÊME !!
SACHANT CELA, JE RESTE FIDÈLE À MÈRE KALANDRE ET JE SUIS CONVAINCU D'AGIR POUR UNE BONNE CAUSE.
QU'EST-CE QUE TU EN CONCLUS, IKAËL ?

QU'ESSAIES-TU DE ME DIRE, DANAËL ? QUE TU N'AGIS PAS DE TON PLEIN GRÉ ?
TU SERAIS VICTIME D'UNE SORTE DE... SORTILÈGE ?

JE NE SAIS PAS, C'EST POSSIBLE. EN FAIT, JE CROIS QU'HALCYON AUSSI EN ÉTAIT ARRIVÉ À LA CONCLUSION QUE LES DYNAMÉIS ÉTAIENT MANIPULÉS.
IL A ESSAYÉ DE ME LE FAIRE COMPRENDRE DANS LES RUINES DU PALAIS DU GARDIEN MAIS JE N'AI PAS SAISI SUR LE MOMENT.

ALORS SI VRAIMENT JE SUIS DANS L'ERREUR ET QUE JE NE SERS PAS LA JUSTICE ...
TUE-MOI OU C'EST MOI QUI TE TUERAI !!!
30

KLANG
KLANG
KLANG
BATS-TOI MIEUX QUE ÇA, IKAËL !! SI TA CAUSE EST PLUS JUSTE QUE LA MIENNE, PROUVE-LE-MOI !
EN DÉPIT DE TOUT CE QUI NOUS OPPOSE, TU RESTES MON FRÈRE, DANAËL. JE NE VEUX PAS TE TUER !
KLANG
ALORS TU NE ME LAISSES PAS LE CHOIX !!
DANAËL ...
DANAËËËËËL
COMMANDANT IKAËL ?
M'SIEUR DANAËL ?
QU'EST-CE QUE VOUS ME FAITES ?
JE PEUX PAS ÉCRIRE UNE HISTOIRE PAREILLE.
31

BON SANG !! KAMINODOA RÉGÉNÈRE SES TENTACULES AU FUR ET À MESURE QUE JE LES TRANCHE.

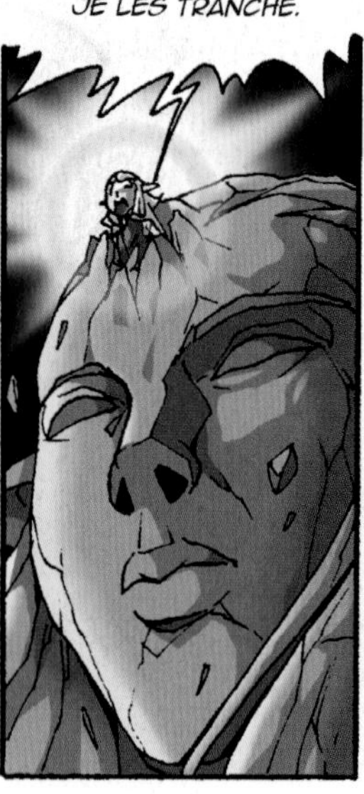

KAMiNODOA
...
... A
FAiM !!

TU AS
FAiM
??
ALORS
BOUFFE-
MOi ÇA,
MONSTRE
!!!

ET Si
CE N'EST
PAS ASSEZ
...

...
VOiCi
LE
DESSERT
!!!
EXPLOSiON...
... ÉLÉMENTAiRE !!!

RRRRRRRRMMMMMMMMBBBBBELLLLMM
33

LA LÉGENDAIRE SHIMY...
... EST MORTE AVEC LE GÉANT DE PIERRE.

Z'ÊTES VRAIMENT QUE DES NULS !!
QUI VOUDRA LIRE UNE HISTOIRE PAREILLE ?

HIIII

?!

EUH... M'SIEUR DANAËL ? OÙ EST-CE QUE VOUS ALLEZ ?
JE CROIS QUE VOUS DEVRIEZ RESTER ASSIS, VOUS ÊTES GRIÈVEMENT BLESSÉ.

HO ? UN CORPS ! DE QUI PEUT-IL S'AGIR ?

SE... SE POURRAIT-IL QU'IL S'AGISSE DE LA PRINCESSE JA...

ELLE EST MORTE ET JE N'AI PAS LEVÉ LE PETIT DOIGT ... JE N'AI RIEN FAIT POUR L'EMPÊCHER !
JE N'AI RIEN RESSENTI LORSQUE C'EST ARRIVÉ... PAS PLUS QUE LORSQUE J'AI TUÉ TÉNÉBRIS OU MON PROPRE FRÈRE... OU QUAND MES AMIS ONT SUCCOMBÉ. ALORS POURQUOI ?

EUH... C'EST À MOI QUE VOUS PARLEZ ?

POURQUOI AI-JE AUSSI MAL...
... MAINTENANT ?!

AAAAAAAAAAAAA
34

MAIS QU'EST-CE QUI SE PASSE ENCOOORE ??

AAAAAAAAAAAAAAAA

JADINA ... EST-CE QUE C'EST TOI QUI ...

35

KALANDRE !!!
36

DANAËL ? MAIS QUE FAIS-TU ICI ? JE VOUS AVAIS DONNÉ L'ORDRE DE...

TON AURÉOLE ?! TU NE L'AS PLUS ! OÙ EST-ELLE PASSÉE ?

ALORS, C'ÉTAIT ÇA ? C'ÉTAIT GRÂCE À CES AURÉOLES QUE VOUS NOUS CONTRÔLIEZ ? C'ÉTAIT GRÂCE À ELLES QUE VOUS AVEZ EMBROUILLÉ NOS ESPRITS AFIN DE NOUS FAIRE CROIRE À VOTRE CAUSE ? **VOUS NOUS AVEZ MANIPULÉS !!**

LAISSE-MOI ME CHARGER DE CE GÊNEUR, MA SŒUR !
À DEUX PAS DE NOTRE VENGEANCE, IL N'EST PAS ENVISAGEABLE QU'UN MORTEL VIENNE S'Y OPPOSER !!

ILS ONT EU LE CHEVALIER DANAËL ! MAIS QU'EST-CE QU'IL ESPÉRAIT ? CES DEUX-LÀ SONT D'UN AUTRE GABARIT, C'EST ÉVIDENT. IL AURAIT DÛ FAIRE COMME MOI ET RESTER CACHÉ !!

JE... COMMENT DANAËL EST-IL PARVENU À BRISER MON ENVOÛTEMENT ? JE N'AI EU AUCUNE VISION D'UN TEL ÉVÉNEMENT, JE NE COMPRENDS PAS.
QUELLE IMPORTANCE ? TOUT NE SE PASSE PAS TEL QUE TU L'AS PRÉDIT, MAIS QU'IMPORTE !
TOI ET MOI SOMMES ICI, DOTÉS DE L'ARME LA PLUS PUISSANTE DE LA GALAXIE...
... ET PRÊTS À NOUS EN SERVIR POUR ANÉANTIR LE MONDE DE NOTRE PÈRE INDIGNE !!!
37

VOUS N'EN FEREZ RIEN !!

JE VOUS EN EMPÊCHERAI !!
MAIS QUEL CRÉTIN !! IL N'EN A PAS EU ASSEZ ?

IL EST ENCORE DEBOUT ?!
MAIS COMMENT ?
DANAËL, CELA SUFFIT !! POURQUOI PROTÉGER DES DIEUX QUI ONT ÉGALEMENT ABANDONNÉ ALYSIA ?

LES DIEUX PEUVENT BIEN CREVER AUJOURD'HUI OU DANS MILLE ANS...
... JE N'EN AI RIEN À FAIRE !!!

LOL
MAIS MES AMIS, MES COMPAGNONS LÉGENDAIRES ET DYNAMÉIS AINSI QUE MON FRÈRE SONT MORTS POUR ASSOUVIR VOTRE SOIF DE SANG... DE VENGEANCE !
C'ÉTAIENT DES HÉROS, LES PLUS GRANDS QU'ALYSIA AIT PORTÉS. ET IL EST HORS DE QUESTION QUE LEUR MORT N'AIT SERVI QU'À EN ENGENDRER DAVANTAGE !!

TOUT S'ARRÊTE ICI... ET MAINTENANT !!!

JE SUIS D'ACCORD !! CETTE COMÉDIE N'A QUE TROP DURÉ !

JE ...
... NE FLÉCHIRAI PAS !!!!
38

C'EST IMPOSSIBLE !
STOP !!
DANAËL...
TSHAAK
AAAAAAAA
CETTE FOIS ...
... C'EST BIEN FINI !
PFF !
VOILÀ OÙ MÈNE LE COURAGE ! ON NE GAGNE PAS UN COMBAT AVEC DE BEAUX DISCOURS. NON MAIS FRANCHEMENT, IL CROYAIT CONVAINCRE QUI, SANS BLAGUE ?!
ALLEZ, FILONS D'ICI VITE FAIT AVANT QUE...
39

JE N'ARRIVE TOUJOURS PAS À COMPRENDRE COMMENT IL EST PARVENU À DÉJOUER MES VISIONS.

LA DERNIÈRE FOIS QUE MES POUVOIRS ONT ÉTÉ PERTURBÉS, C'ÉTAIT À CAUSE DE
CHEVALIER DANAËL !!
MAIS QU'EST-CE QUE JE FAIS, MOI ??
ALORS TOUT ÇA N'ÉTAIT QUE DE BELLES PAROLES ? VOUS ALLEZ LAISSER LES CHOSES FINIR AINSI ?
VOS AMIS SONT DONC MORTS POUR RIEN ??

VOUS VOULEZ QUE JE VOUS DISE ?
IL N'EST PAS QUESTION QUE J'ÉCRIVE UNE FIN D'HISTOIRE AUSSI POURRIE !!!

ALORS RELEVEZ-VOUS ET ATTRAPEZ VOTRE ÉPÉE !!

CETTE SCÈNE ! JE L'AI VUE DANS UNE VISION, LA SEULE QUE J'AIE JAMAIS EUE DE MON PROPRE AVENIR...
LE SCRIBOUILLARD ? QUE FAIT-IL ICI ? EST-CE QUE CE SERAIT LUI QUI PERTURBE MES POUVOIRS ?

... CELLE DE MA MORT !!!
JE L'AI PAS FAIT EXPRÈS !!
... ABRUTI !!!
NON, JE NE PEUX PAS MOURIR AINSI, PAS SI PRÈS DU BUT !! PAS PAR LA MAIN DE CET...
NON !!
KALANDRE !!
40

COMMENT PEUX-TU ÊTRE ENCORE EN VIE ??
TU NE... TU N'ES QU'UN HOMME !
QUE... PAS ENCORE TOI !!

OUI, JE NE SUIS QU'UN HOMME.
MAIS C'EST BIEN SUFFISANT !!!
ARTÉMUS DEL CONQUISADOR.
OU... OUI ?

JE VIENS DE DÉTRUIRE QUATRE PIERRES DIVINES ET JE SAIS PAR EXPÉRIENCE QUE CE QUI SUIT N'AUGURE RIEN DE BON. ALORS RENTREZ SUR ALYSIA ! RENTREZ ET RACONTEZ AU MONDE ENTIER CE QUI S'EST PASSÉ AUJOURD'HUI !
RACONTEZ COMMENT UNE FOIS ENCORE UN GROUPE D'HOMMES ET DE FEMMES SE SONT BATTUS CONTRE LE MAL. RACONTEZ COMMENT LES LÉGENDAIRES SONT MORTS EN LUTTANT POUR UN IDÉAL, MAIS SURTOUT...

... RACONTEZ COMMENT LES LÉGENDAIRES ONT VÉCU !!
41

HAAAAA!!!

HÉ, ÇA Y EST ! JE CROIS QU'IL SE RÉVEILLE.
ÇA VA, L'AMI ?
ATTENTION, VOUS ÊTES BLESSÉ À LA TÊTE.
IL VA MOURIR ?
VOUS POUVEZ VOUS RELEVER ?

JE SUIS TOUJOURS VIVANT ?
QU'EST-CE QUI S'EST PASSÉ ?
BEN, ON COMPTAIT VOUS POSER LA QUESTION.

MON JOURNAL ... IL EST TOUT ABÎMÉ !!
VOUS ÊTES TOUT PÂLE.
PRENEZ CE FRUIT FRAÎCHEMENT CUEILLI, ÇA VA VOUS REQUINQUER.
UNE POMME ?
OÙ VOUS EN AVEZ TROUVÉ DANS CET ENDROIT ?

ON NE SAIT PAS VRAIMENT COMMENT ÇA S'EST PRODUIT.
TOUT EST PARTI DE L'ARBRE QUI A SURGI DE NULLE PART TOUT À L'HEURE.
42

VOUS ÊTIEZ LÀ-BAS, NON ? QU'EST-CE QU'IL S'Y EST PASSÉ ?
MON-SIEUR ?
SI VOUS VOULEZ LE SAVOIR ...
... IL FAUDRA ACHETER MON PROCHAIN LIVRE !
43

TROIS ANS PLUS TARD...

BISTROT

Dédicace d'Artémus le Légendaire de 14h00 à 18h00.
LÉGENDAIRE ARTÉMUS, JE SUIS VOTRE PLUS GRAND FAN ! JE VOUS ADORE !
Dél Conquisador
LES LÉGENDAIRES
1
La pierre de Jovénia
ENCORE UNE DÉDICACE, S'IL VOUS PLAIT ! J'AI ACHETÉ TOUS VOS LIVRES !

VRAIMENT NAVRÉ MAIS IL EST TEMPS POUR MOI DE REPRENDRE LA ROUTE.
MAIS JE REVIENDRAI, C'EST PROMIS !!

LÉGENDAIRE ARTÉMUS !!
UNE DERNIÈRE QUESTION, JE VOUS EN PRIE !

TOUT LE MONDE SAIT SUR ALYSIA QUE C'EST VOUS QUI AVEZ VAINCU LE SORCIER DARKHELL, SKROA LE FOURBE, AINSI QUE LE TERRIBLE DIEU ANATHOS. VOUS ÊTES LE PLUS GRAND AVENTURIER DU MONDE !!
ALORS POURQUOI AVOIR INVENTÉ UN GROUPE APPELÉ "LES LÉGENDAIRES" POUR LUI FAIRE VIVRE TOUTES VOS AVENTURES ? POURQUOI NE PAS AVOIR ÉCRIT LA VÉRITÉ ? C'EST VOUS, LE VÉRITABLE HÉROS !

DÉSOLÉ, MA JOLIE ...
... MAIS UN BON AUTEUR DOIT GARDER SES SECRETS DE FABRICATION S'IL VEUT CONTINUER À TROUVER L'INSPIRATION !!
IL M'A APPELÉE "MA JOLIE" !!
AU REVOIR, MES LÉGENFANS !!
44

TCHAK
HOLÀ, MON BRAVE !!
TCHAK

HOLÀ, VOYAGEURS !
POUVEZ-VOUS NOUS INDIQUER LE CHEMIN DE TÉKINBOLOS ?

VOUS ÊTES DANS LA BONNE DIRECTION. CONTINUEZ ENCORE DEUX KILOMÈTRES ET PRENEZ À DROITE À L'EMBRANCHEMENT.
À PARTIR DE LÀ, CE SERA INDIQUÉ ET TÉKINBOLOS NE SERA PLUS QU'À UNE DIZAINE DE KILOMÈTRES. VOUS Y SEREZ AVANT LA NUIT.

MERCI, L'AMI ! VOTRE TÂCHE DOIT ÊTRE BIEN HARASSANTE PAR UNE CHALEUR PAREILLE. TENEZ DONC ET RAFRAÎCHISSEZ-VOUS !
RICOLÈS
C'EST CADEAU !!

DU RICOLÈS ? MAIS ÇA COÛTE AU MOINS 500 KISHUS LA BOUTEILLE ! JE NE PEUX PAS ACCEP...
RICOLÈS
VOUS LE MÉRITEZ !
CROYEZ-MOI, VOUS LE MÉRITEZ !!

MAÎTRE !
JE DOIS VOUS AVOUER MA SURPRISE !!
ÇA NE VOUS RESSEMBLE PAS DE FAIRE PREUVE D'UNE TELLE GÉNÉROSITÉ. SURTOUT AVEC UN SIMPLE PAYSAN !

IL FAUT TOUJOURS SE MÉFIER DES APPARENCES, TRÈS CHÈRE !!
CE N'EST PEUT-ÊTRE QU'UN PAYSAN, MAIS EN N'IMPORTE QUI PEUT SE CACHER...
... UN HÉROS !!!
45

DANAËL ?
OUI, SHIMY ?
QUI ÉTAIENT CES GENS ?

DES VOYAGEURS ÉGARÉS FORT SYMPATHIQUES !!

LE DÎNER EST PRÊT.
J'ARRIVE, MON AMOUR !!
FIN ?

PROCHAINEMENT

Artémus del Conquisador est le plus grand héros d'Alysia et du monde elfique, faut vous y faire ! Normal quand on sait que c'est lui qui a fait emprisonner le sorcier noir **Darkhell** et qui a terrassé le dieu maléfique **Anathos.** Et **Les Légendaires**, me direz-vous ? Purs personnages de fiction inventés par Artémus dans ses romans. Ils n'ont jamais existé !

Alors que le monde vit en paix depuis plusieurs années, Artémus et sa fidèle coéquipière **Amy** partent à la recherche de compagnons pour une ultime aventure : retrouver son bien le plus précieux dérobé par le célèbre gang de brigands **Les FABULEUX** et leur chef, le non moins redoutable **Samaël.**

Mais qu'est-ce que c'est que cette histoire de fou ?

C'est ce que vous découvrirez dans
ARTÉMUS LE LÉGENDAIRE,
dix-neuvième aventure des *Légendaires WORLD WITHOUT*,
chez votre libraire en 2016.